L'auteur
Dominique de Saint Mars

Après des études de sociologie,
elle a été journaliste à *Astrapi*.
Elle écrit des histoires
qui donnent la parole aux enfants
et traduisent leurs émotions.
Elle dit en souriant qu'elle a interviewé
au moins 100 000 enfants...
Ses deux fils, Arthur et Henri,
ont été ses premiers inspirateurs !
Prix de la Fondation pour l'Enfance.
Auteur de *On va avoir un bébé*,
Je grandis, *Les Filles et les Garçons*,
Léon a deux maisons et
Alice et Paul, copains d'école.

L'illustrateur
Serge Bloch

Cet observateur plein d'humour
et de tendresse est aussi un maître
de la mise en scène.
Tout en distillant son humour généreux
à longueur de cases, il aime faire sentir
la profondeur des sentiments.

Max a triché

Série dirigée par Dominique de Saint Mars

Imprimé en Italie
ISBN : 2-88445-150-1

Ainsi va la vie

Max a triché

Dominique de Saint Mars

Serge Bloch

Max, tu as 15
au contrôle de maths,
alors viens faire
la correction.
Qui, moi ?

Euh... c'est-à-dire... ça doit être... euh...

Mets un 4 !
T'as un trou, Max !
Moi ! Je sais !

LE LENDEMAIN, PENDANT LE CONTRÔLE D'HISTOIRE...
Tom, pousse ton bras.
Max, tu veux des lunettes ?
Euh ! non... pourquoi ?

DEUX JOURS APRÈS, LA MAÎTRESSE REND LE CONTRÔLE D'HISTOIRE...

Jules, 5. C'est ni fait ni à faire !
Et j'ai gardé le meilleur pour la fin, Max et Tom, zéro ! Je vous ai mis la même note, c'est le même devoir et les mêmes âneries.

Y a quand même une justice...
Oui, pour une fois qu'il se fait prendre...

Pour vous donner un exemple : « Nos ancêtres, les hommes préhistoriques, sont devenus l'australopastèque, le petitcantrope et le cro-mignon* »...

*Max aurait dû écrire : l'australopithèque, le pithécanthrope et le Cro-Magnon.

Et demain matin je veux une signature de vos parents sur la feuille.
Oh ! là, là, je vais me faire tuer !
Et moi, alors ! Ça va chauffer !

ET DE RETOUR À LA MAISON...
Tiens, j'ai eu 15 en gym et 18 en dessin.
Bien ! Et ton contrôle d'histoire, on te l'a rendu ?

Euh, t'as pas racheté de chocolat ?

Non ! Mais tu ne m'as pas répondu !
Hein ?

Oui, tu as eu une bonne note ?
Ben, ça s'est moins bien passé que je ne le pensais. Et il faut que tu le signes !

Tom a triché sur moi et
on a eu zéro. Je peux pas
le dénoncer. De toute façon,
la maîtresse n'aurait rien
voulu savoir. Mais,
je la comprends
un peu !
Oui,
enfin, vous
avez triché tous
les deux...
On a juste un peu
communiqué.

Je suis déçu, Max !
Justement, c'était pour que tu ne sois pas déçu... que j'ai triché...

Tu comprends, c'est pas le zéro qui est grave, c'est le fait de toujours compter sur les autres et de ne plus faire de progrés...
Mais j'apprends en copiant !

Hum ! tu perds surtout ta confiance en toi et ton professeur aussi !
Mais c'est HORRIBLE, les mauvaises notes... et c'est DUR de travailler...

Et toi, t'as jamais triché quand t'étais petit ?
C'est pas impossible !

D'ailleurs, au Scrabble, tu inventes des mots... en disant : « si, si, je t'assure, c'est du grec ! »

Bon ! Tu es assez puni avec ton zéro, mais je veux que tu aies des vraies notes... même si elles sont moins bonnes.

Et puis, tu as des bons résultats en ce moment. Tu n'as pas besoin de tricher.

LE LENDEMAIN...
On va changer les places.
Moi, je ne me mets pas à côté de toi. Tu ne sais jamais rien.
Ah ! oui, t'es trop copieur !

Toi, Max, ce mois-ci,
je voudrais que tu te mettes
à côté de Jérôme.
Ah bon ?

ET AU PREMIER CONTRÔLE DE GRAMMAIRE, LES ENNUIS ONT COMMENCÉ...

Arrête de copier !

Je copiais pas, je vérifiais la question.

ET PENDANT LA DICTÉE...

ET AU DEVOIR DE GÉOGRAPHIE...
Je t'en supplie, aide-moi, je ne sais rien. Y en a combien de planètes ?

ET POUR L'INTERRO DE MATHS...
Tom, lui, au moins, il sait toujours...
Tom, qu'est-ce que tu trouves au n°3 ? Grouille ! J'y arrive pas !

Oh ! Max !

Voyons voir !... De mieux en mieux ! En plus, tes notes commencent à s'écrouler ! Je vais convoquer tes parents.
NON ! Surtout pas !

Ces deux calots, ils sont
à moi ! C'est dingue, ça !
T'as triché !
Ça te
va bien de dire ça !
Max-la-triche !

OHO MAX LA TRICH T'PICH...

PLUS TARD, AU RETOUR DE L'ÉCOLE...
C'est vraiment un dégueulasse, ce Jérôme ! Avec des types comme ça, on pourra jamais être amis !
Oui ! C'est rien que des égoïstes !

Oui, il faut s'entr'aider de nos jours ! On ne peut pas tout savoir !
À l'école, on apprendrait mieux si on travaillait plus en groupe... Au lieu d'être toujours seul face à soi-même...
Nous, c'est pas du copiage, c'est du partage !

Oh ! là, là, mes notes vont devenir nulles et on va s'apercevoir que je trichais... Va falloir que je me mette à bosser !
Dur, dur !

En tout cas, tant que je serai à côté de ce Jérôme !
Oui, après, on se remettra à côté. Et moi, je ne te laisserai pas tomber !

Tu viens jouer, Max ?
Non, je peux pas, Tom !

Non, non, je regardais un truc...
Mais tu travailles tout le temps !

LE MOIS PASSE...
C'est encore Max qui a la meilleure note !
Ma parole, je suis devenu bon !

ET LE JOUR DES CHANGEMENTS DE PLACES ARRIVE ENFIN...

Ah !
c'est bon d'être bon !

Et toi...

Est-ce qu'il t'est arrivé la même histoire qu'à Max ?

Est-ce parce que tes parents veulent que tu aies des bonnes notes et que tu ne veux pas les décevoir ?

Parce que cela t'épuise de travailler ?
Parce que cela t'amuse de tricher ?

Parce que tu n'as pas confiance en toi ?
Ou penses-tu que les autres savent mieux que toi ?

T'es-tu fait prendre quand tu as triché
As-tu été puni ?

T'es-tu senti mal d'avoir trompé ta maîtresse
et tes parents ? Ou as-tu vite oublié ta tricherie ?

À ton avis, est-ce pareil de tricher
à l'école ou aux jeux ?

Préfères-tu ne compter que sur toi-même ?
As-tu plus confiance en toi qu'en les autres ?

Refuses-tu qu'un élève copie sur toi ?
À cause de sa bonne note non méritée ?

Acceptes-tu qu'on copie sur toi ? Pour s'entr'aider ?
Parce que c'est à l'autre de faire son choix ?

Crois-tu que tricher, c'est utile sur le moment mais qu'après on ne sait rien et on ne peut plus s'arrêter ?

Penses-tu que cela arrive aussi aux grandes personnes de tricher ?

Trouves-tu plus compliqué de tricher que de travailler ?

**Après avoir réfléchi
à ces questions
sur la tricherie,
tu peux en parler
avec tes parents ou tes amis.**

Dans la même collection

1 Lili ne veut pas se coucher
2 Max n'aime pas lire
3 Max est timide
4 Lili se dispute avec son frère
5 Les Parents de Zoé divorcent
6 Max n'aime pas l'école
7 Lili est amoureuse
8 Max est fou de jeux vidéo
9 Lili découvre sa mamie
10 Max va à l'hôpital
11 Lili n'aime que les frites
12 Max raconte des « bobards »
13 Max part en classe verte
14 Lili est fâchée avec sa copine
15 Max a triché
16 Lili a été suivie
17 Max et Lili ont peur
18 Max et Lili ont volé des bonbons
19 Grand-père est mort
20 Lili est désordre
21 Max a la passion du foot
22 Lili veut choisir ses habits
23 Lili veut protéger la nature
24 Max et Koffi sont copains
25 Lili veut un petit chat
26 Les Parents de Max et Lili se disputent
27 Nina a été adoptée
28 Max est jaloux
29 Max est maladroit
30 Lili veut de l'argent de poche
31 Max veut se faire des amis
32 Emilie a déménagé
33 Lili ne veut plus aller à la piscine
34 Max se bagarre
35 Max et Lili se sont perdus
36 Jérémy est maltraité
37 Lili se trouve moche
38 Max est racketté
39 Max n'aime pas perdre
40 Max a une amoureuse
41 Lili est malpolie
42 Max et Lili veulent des câlins
43 Le Père de Max et Lili est au chômage
44 Alex est handicapé
45 Max est casse-cou
46 Lili regarde trop la télé
47 Max est dans la lune
48 Lili se fait toujours gronder
49 Max adore jouer
50 Max et Lili veulent tout savoir sur les bébés
51 Lucien n'a pas de copains
52 Lili a peur des contrôles
53 Max et Lili veulent tout tout de suite !
54 Max embête les filles
55 Lili va chez la psy
56 Max ne veut pas se laver
57 Lili trouve sa maîtresse méchante
58 Max et Lili sont malades
59 Max fait pipi au lit
60 Lili fait des cauchemars
61 Le cousin de Max et Lili se drogue
62 Max et Lili ne font pas leurs devoirs
63 Max va à la pêche avec son père
64 Marlène grignote tout le temps
65 Lili veut être une star
66 La copine de Lili a une maladie grave
67 Max se fait insulter à la récré
68 La maison de Max et Lili a été cambriolée
69 Lili veut faire une boum
70 Max n'en fait qu'à sa tête
71 Le chien de Max et Lili est mort
72 Simon a deux maisons
73 Max veut être délégué de classe
74 Max et Lili aident les enfants du monde
75 Lili se fait piéger sur Internet
76 Émilie n'aime pas quand sa mère boit trop
77 Max ne respecte rien
78 Max aime les monstres